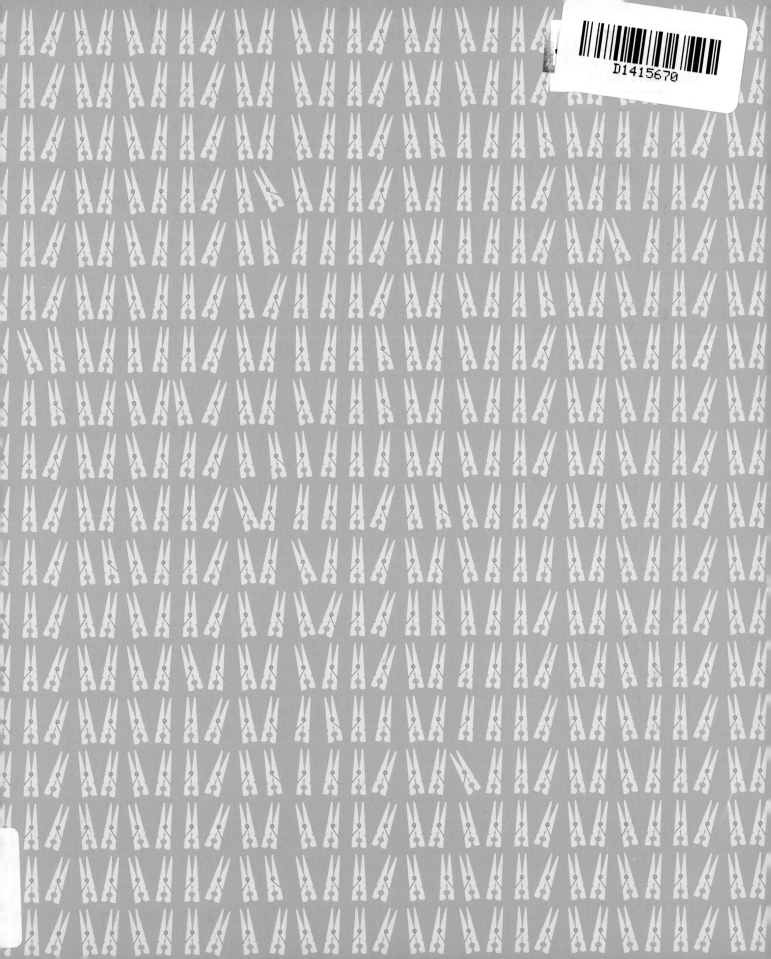

Tytuł oryginału: Histoires qui chatouillent les narines. Le Loup qui sentait la fraise
Tekst: Raffaella Bertagnolio
Ilustracje: Mélanie Grandgirard
Tłumaczenie: Maria Zawadzka-Strączek
Redakcja: Monika Tomaszewska
DTP: Zbigniew Szwarc

© Fleurus Mame 2015
© 2016 for the Polish edition by Firma Księgarska Olesiejuk Spółka z ograniczoną odpowiedzialnością Sp.j.
Wydawnictwo Olesiejuk, an imprint of Firma Księgarska Olesiejuk Spółka z ograniczoną odpowiedzialnością Sp.j.

ISBN 978-83-274-4308-3

Firma Księgarska Olesiejuk Spółka z ograniczoną odpowiedzialnością Sp.j.
05-850 Ożarów Mazowiecki
ul. Poznańska 91
wydawnictwo@olesiejuk.pl

www.wydawnictwo-olesiejuk.pl

dystrybucja: www.olesiejuk.pl

Druk: Perfekt S.A.

Pachnące opowieści

Wilk, który pachniał truskawkami

Tekst: Raffaella Bertagnolio
Ilustracje: Mélanie Grandgirard

Wilk, który pachniał truskawkami

Wszyscy mieszkańcy lasu bali się wilka. Zwierzęta drżały ze strachu na myśl o tym, że mogłyby go spotkać. Wilk – jak wszystkie złe wilki – był okrutny i przebiegły, silny i żarłoczny... A poza tym straszliwie cuchnął!

Miał tak odrażający oddech, że wszyscy stojący blisko niego tracili przytomność. Wystarczyło, że zawył: AAAUUU!, a ofiary same wpadały do jego paszczy. Wilk pożarł w ten sposób wielu mieszkańców lasu...

Wilk miał poważny problem. Straszny odór, który wokół siebie roztaczał, coraz bardziej mu przeszkadzał. Im był starszy, tym bardziej cuchnął. Zwierzęta wyczuwały go z daleka i brały nogi za pas.

Żarłoczny zwierzak nie mógł ich już zaskakiwać i odurzać swoim oddechem. Coraz mniej jadł i marniał w oczach. Nie był jednak głupi. Szybko zrozumiał, że bez pomocy nie wyjdzie z tego cało.

Postanowił zwołać zebranie, na które zaprosił wszystkie leśne zwierzęta.

– Mam pewien kłopot – oznajmił. – Jestem głodny, ale ponieważ cuchnie mi z ust, uciekacie przede mną, a ja nie mogę was pożreć. Pomóżcie mi.

Zwierzęta nie wiedziały, co o tym sądzić. Dlaczego miałyby pomóc wilkowi, który chce je pożreć? To czyste szaleństwo! Długo dyskutowały i zastanawiały się, co odpowiedzieć wilkowi. Wreszcie żaba zabrała głos:
– Pomożemy ci, ale pod jednym warunkiem, że nas nie zjesz.

Wilk był tak głodny, że od razu się zgodził.

I tak oto przed wilkiem ustawiła się kolejka leśnych zwierząt, które zatkały sobie nosy klamerkami do bielizny i zaczęły udzielać mu rad.

Pierwsza podeszła do niego mysz polna.

– Umyj zęby!

Wilk miał wielką ochotę pożreć mysz. Ledwo się powstrzymał. Jej rada wydawała mu się absurdalna: przecież codziennie mył zęby, czego najlepszym dowodem były jego lśniące kły. Wilk dotrzymał jednak obietnicy i tylko oblizał się łakomie, po czym przegonił mysz. Nie mógł zjeść żadnego mieszkańca lasu, zanim nie rozwiąże swojego problemu z cuchnącym oddechem.

Wilk uznał, że musi uzbroić się w cierpliwość.
A co zrobi, gdy odzyska świeży oddech? Pożre ich
wszystkich. Na razie jednak postanowił wysłuchać rad
zwierząt i po kolei je wypróbować.

Dzik, leśny poeta, przyniósł mu wielki bukiet.
– Może zaczniesz jadać kwiaty?
Wręczył bukiet wilkowi, który, choć uznał ten pomysł
za idiotyczny, postanowił zjeść kwiaty. Nie zaszkodzi
przecież spróbować...

Fuj! Z trudem połknął łodygi – drapały go teraz
w gardle. Niestety, nadal cuchnęło mu z pyska.

Bóbr, który w przeciwieństwie do dzika nie miał duszy poety, dał wilkowi dziwną radę:

– Zjedz skunksa.

– Cóż za niedorzeczność! – zawołał wilk.

Wszyscy wiedzieli, że skunks jest jedynym zwierzęciem, którego nikt by nie tknął.

– Mylisz się – oznajmił bóbr. – Połączenie twojego cuchnącego oddechu z odorem skunksa sprawi, że będzie ci pięknie pachniało z ust.

– Ależ to idiotyczna rada! – krzyknął wilk. – Wstrętny zapach połączony z innym wstrętnym zapachem daje przecież jeszcze BARDZIEJ wstrętny zapach! Wynoś się stąd, niech ktoś inny cię pożre!

Czy zwierzęta sprzysięgły się przeciw niemu i postanowiły opowiadać brednie, żeby robić mu wodę z mózgu? Wilk nie wiedział, co robić...

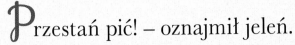

Przestań pić! – oznajmił jeleń.

– Co mam przestać pić? – zapytał wilk.

– Wodę z kałuży. Zaczęła gnić i strasznie cuchnie.

– Ty też nie pijesz wody z kałuży?

– Ja... owszem, piję...

– I też masz cuchnący oddech?

– Eee... nie...

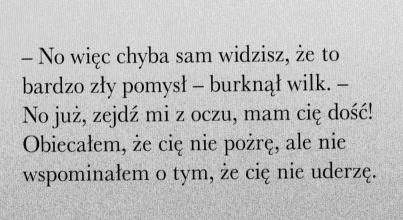

– No więc chyba sam widzisz, że to bardzo zły pomysł – burknął wilk. – No już, zejdź mi z oczu, mam cię dość! Obiecałem, że cię nie pożrę, ale nie wspominałem o tym, że cię nie uderzę.

Wilk zaczął tracić cierpliwość. Czy zwierzęta robiły sobie z niego żarty? A może niektóre z nich postanowiły się w ten sposób zemścić?

Następny zjawił się rozsądny królik, który przyniósł jakąś ohydną miksturę.

– Wypij to – powiedział, odsłaniając swoje długie zęby w szerokim uśmiechu.

Mikstura składała się ze zgniłych roślin oraz z odrobiny błota. Gdy wilk skończył pić ten obrzydliwy napój, trzy razy zebrało mu się na wymioty. Ledwo to wytrzymał – niestety, nadal cuchnęło mu z pyska. I nie był to koniec jego cierpień...

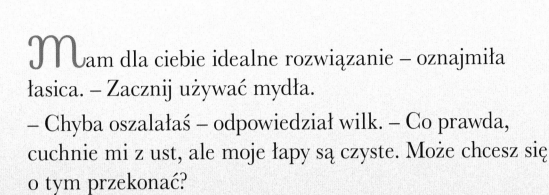

$\mathcal{M}$am dla ciebie idealne rozwiązanie – oznajmiła łasica. – Zacznij używać mydła.

– Chyba oszalałaś – odpowiedział wilk. – Co prawda, cuchnie mi z ust, ale moje łapy są czyste. Może chcesz się o tym przekonać?

– Ależ nie chodzi o to, żebyś się mył mydłem. Musisz je połknąć – wyjaśniła łasica.

– RRRRRRRR!

Łasica ledwo uszła z życiem.

Wilk był coraz bardziej zniecierpliwiony i z trudem się powstrzymywał. Miał tego wszystkiego serdecznie dość.

Mieszkańców lasu ogarniał coraz większy niepokój. Zwierzęta wiedziały, że jeśli czegoś nie wymyślą, wilk pożre je wszystkie bez wyjątku. W końcu zjawiła się żaba, która przyniosła koszyk.

– Gdzieś ty się podziewała? – zawołały oburzone zwierzęta. – Wilk nas zaraz zje!

– Nie martwcie się. Wiem, co zrobić. Żaba podała wilkowi koszyk i wyjaśniła:

– Cuchnie ci z pyska, ponieważ pożerasz zwierzęta. Przejdź na wegetarianizm, a wszystkie twoje problemy znikną. Zacznij od truskawek, które dla ciebie przyniosłam. Są czerwone, soczyste i pyszne!

Wilk nieufnie sięgnął po truskawkę, a potem po kolejną. W ciągu kilku chwil opróżnił cały koszyk. Najadł się do syta i był bardzo zadowolony. A co ważniejsze jego oddech pachniał truskawkami.

Och, jak wspaniale! Wreszcie będzie mógł pożreć wszystkie leśne zwierzęta. Tylko że... tak bardzo smakowało mu to, co zjadł. Truskawki okazały się dużo lepsze od łasicy. A poza tym takiemu staremu wilkowi na pewno łatwiej będzie je strawić.

Wilk podjął ważną decyzję: zostanie wegetarianinem i przestanie jeść mięso. Każdego dnia będzie urządzał sobie truskawkową ucztę.

Potrzyj pysk wilka. Teraz pachnie truskawkami!